KB076736

자바 스프링 부트 프로젝트와
파이썬 AI 프로젝트 연결하기

저자 허진경

자바 스프링 부트 프로젝트와 파이썬 AI 프로젝트 연결하기

발   행 | 2024년 7월 26일
저   자 | 허진경
펴낸이 | 한건희
펴낸곳 | 주식회사 부크크
출판사등록 | 2014.07.15.(제2014-16호)
주   소 | 서울특별시 금천구 가산디지털1로 119 SK트윈타워 A동 305호
전   화 | 1670-8316
이메일 | info@bookk.co.kr

ISBN | 979-11-410-9754-7

www.bookk.co.kr

CONTENT

〈제목 차례〉

2장. 자바 스프링 부트와 파이썬 FastAPI로 배우는 객체 탐지: AI 모델 연동 및 이미지 처리 ·········· 21

〈표 차례〉

〈그림 차례〉

〈소스코드 차례〉

들어가기 전에….

이 책을 완전히 이해하려면 다음 지식이 있어야 합니다.
 - 자바 프로그래밍 언어
 - HTML/CSS/JavaScript
 - 스프링 부트를 이용한 자바 웹 프로젝트
 - 파이썬 프로그래밍 언어
 - 파이썬 FastAPI를 이용한 웹 프로젝트
 - 파이썬 OpenCV를 이용한 영상처리
 - YOLOv8을 이용한 실시간 객체 탐지

이 책의 1장은 파이썬의 FastAPI와 자바 스프링 부트 프레임워크를 이용해서 웹 애플리케이션을 만드는 방법을 설명합니다.

이 책의 2장은 자바 스프링 부트를 이용한 웹 애플리케이션에서 이미지를 파이썬 AI 서버에 보내면 파이썬 AI 서버가 객체 탐지를 수행하고 그 결과를 JSON 형식으로 반환합니다.

이 책의 3장은 MQTT 브로커를 이용해서 파이썬의 카메라 영상을 실시간으로 자바 웹 화면으로 출력하는 것을 설명합니다.

※ 이 교재의 소스코드는 아래의 깃허브 주소에서 내려받을 수 있습니다.
   https://github.com/hjk7902/java2ai

※ 이 책의 내용을 더 완벽하게 이해하고 싶다면 저자에게 문의하세요. 이메일 주소는 `hjk7902@gmail.com`입니다.

.

1장. 웹 애플리케이션 프로젝트 만들기

파이썬 FastAPI를 이용해서 웹 애플리케이션을 만들고 실행하는 방법
과 자바 스프링 부트를 이용해서 웹 애플리케이션을 만들고 실행하는
방법을 설명합니다.

1절. FastAPI를 이용한 파이썬 웹 애플리케이션

FastAPI는 Python으로 작성된 빠르고 현대적인 웹 프레임워크입니다. FastAPI를 사용하여 웹 애플리케이션을 만드는 방법을 단계별로 설명하겠습니다.

1.1. 개발 환경

1) 파이썬 인터프리터

파이썬이 설치되어 있지 않다면 Python 공식 웹사이트에서 파이썬을 다운로드하여 설치합니다. 설치 시 "Add Python to PATH" 옵션을 선택하는 것을 잊지 마세요.
- 파이썬 공식 사이트: https://www.python.org/

● 반드시 파이썬 3.12 버전일 필요는 없습니다. 이 책의 예제를 실행하려면 3.8 이상이면 됩니다.
● Anaconda(아나콘다)를 이용한 개발 환경을 사용한다면 파이썬 인터프리터를 다시 설치할 필요 없습니다.

2) 코드 작성 및 실행을 위한 도구

이 책은 파이썬 코드 작성 및 실행을 위해 PyCharm Community Edition을 사용합니다. 아래 주소에서 내려받아 설치하세요.
- PyCharm 다운로드: https://www.jetbrains.com/pycharm/

1.2. FastAPI 설치

먼저, FastAPI와 ASGI 서버인 Uvicorn을 설치해야 합니다.

 pip install fastapi uvicorn

1) ASGI

ASGI(Asynchronous Server Gateway Interface)는 파이썬에서 비동기 웹 서버와 웹 애플리케이션 간의 인터페이스 표준입니다. ASGI는 기존 WSGI(Web Server Gateway Interface)의 비동기 버전으로, 파이썬에서 비동기 처리를 지원하는 웹 애플리케이션을 구축하기 위해 설계되었습니다.

ASGI의 주요 특징은 다음과 같습니다.
① 비동기 지원: ASGI는 비동기 코드 실행을 지원하여 높은 성능과 동시성을 제공합니다. 이는 특히 웹소켓이나 서버 푸시와 같은 비동기 통신이 필요한 애플리케이션에 유용합니다.
② 범용성: ASGI는 HTTP뿐만 아니라 WebSocket, gRPC와 같은 다른 프로토콜도 지원합니다.
③ 유연성: ASGI 애플리케이션은 다양한 서버 및 프레임워크와 호환되며, 모듈식으로 구성할 수 있습니다.

2) FastAPI와 ASGI

FastAPI는 ASGI 표준을 따르는 웹 프레임워크입니다. 이를 통해 FastAPI 애플리케이션은 비동기 처리를 기본으로 하며, Uvicorn과 같은 ASGI 서버를 사용하여 높은 성능을 제공합니다.

1.3. FastAPI 애플리케이션 생성

main.py 파일을 만들고 아래와 같은 코드를 작성합니다.

main.py

```
1  from fastapi import FastAPI
2
3  app = FastAPI()
4
5
6  @app.get("/")
7  async def read_root():
8      return {"Hello": "World"}
9
10
11  @app.get("/items/{item_id}")
12  async def read_item(item_id: int, q: str = None):
13      return {"item_id": item_id, "q": q}
14
```

라우트는 URL 경로와 매핑되는 함수입니다. 위 예제에서 두 개의 라우트를 정의했습니다.

● `/`: 루트 경로에 대한 GET 요청을 처리합니다.
● `/items/{item_id}`: 동적 경로 매개변수(Path Parameters) item_id를 사용하여 특정 아이템을 조회합니다. 경로 매개변수는 중괄호 `{ }` 안에 변수명을 적어 정의합니다.

FastAPI는 경로 매개변수와 쿼리 매개변수를 함께 사용할 수 있습니다. 경로 매개변수는 URL 경로의 일부로 사용되고, 쿼리 매개변수는 URL의 쿼리 문자열로 전달됩니다.

● item_id: 경로 매개변수입니다.
● q: 쿼리 매개변수(기본값은 None)입니다.

1.4. 데이터 모델링

FastAPI는 Pydantic을 사용하여 데이터 유효성 검사를 합니다. 예를 들어, 새로운 아이템을 생성하는 API를 추가해 보겠습니다.

main.py

```
 1  from fastapi import FastAPI
 2  from pydantic import BaseModel
 3
 4  app = FastAPI()
 5
 6
 7  class Item(BaseModel):
 8      name: str
 9      description: str = None
10      price: float
11      tax: float = None
12
13
14  @app.post("/items/")
15  async def create_item(item: Item):
16      return item
17
```

BaseModel은 Pydantic 라이브러리의 핵심 클래스입니다. Pydantic 은 데이터 유효성 검사와 설정 관리에 사용되는 Python 라이브러리로, 데이터 모델링을 쉽고 강력하게 할 수 있도록 도와줍니다. FastAPI는 Pydantic을 사용하여 데이터 유효성 검사를 수행합니다.

위 코드에서 7라인에 정의된 클래스를 15라인의 앱 함수 매개변수로 설정하면 FastAPI가 요청 본문을 자동으로 Item 모델로 변환하고, 유효성 검사를 수행합니다. 잘못된 데이터가 입력되면 자동으로 `422 Unprocessable Entity` 응답을 반환합니다.

1.5. FastAPI 문서화

FastAPI는 자동으로 API 문서를 생성합니다. 애플리케이션을 실행한 후 브라우저에서 다음 URL을 방문하여 API 문서를 확인할 수 있습니다.

● Swagger UI: http://127.0.0.1:8000/docs
● ReDoc: http://127.0.0.1:8000/redoc

Swagger UI와 ReDoc은 모두 API 문서화를 위한 도구로, OpenAPI(Swagger) 사양을 기반으로 합니다. 이들 도구는 API의 엔드포인트, 요청 및 응답 형식, 모델 등을 시각적으로 보여주어 개발자와 사용자가 API를 쉽게 이해하고 테스트할 수 있도록 도와줍니다.

FastAPI는 기본적으로 Swagger UI와 ReDoc을 활성화합니다. 하지만 원하는 경우 다음 코드처럼 이를 비활성화하거나 커스터마이징할 수 있습니다.

main.py

```python
from fastapi import FastAPI

app = FastAPI(
    title="My API",
    description="This is a sample API",
    version="1.0.0",
    docs_url=None,       # Swagger UI 비활성화
    redoc_url=None       # ReDoc 비활성화
)

@app.get("/items/{item_id}")
async def read_item(item_id: int):
    return {"item_id": item_id}
```

1.6. FastAPI 미들웨어

FastAPI 미들웨어는 요청(request)과 응답(response) 사이에서 특정 작업을 수행하는 데 사용되는 함수 또는 클래스입니다. 미들웨어는 모든 요청에 대해 실행되며, 요청을 처리하기 전에 또는 응답을 반환하기 전에 특정 작업을 수행할 수 있습니다. 예를 들어, 로깅, 인증, CORS 처리, 압축 등이 미들웨어를 통해 구현될 수 있습니다.

다음 코드에서처럼 모든 요청에 대해 로그를 남기는 미들웨어 클래스를 만들고 add_middleware() 함수를 이용해서 추가할 수 있습니다.

main.py

```
1  from fastapi import FastAPI
2  from starlette.middleware.base import BaseHTTPMiddleware
3  import logging
4
5  app = FastAPI()
6
7
8  class LoggingMiddleware(BaseHTTPMiddleware):
9      async def dispatch(self, request, call_next):
10         logging.info(f"Req: {request.method} {request.url}")
11         response = await call_next(request)
12         logging.info(f"Status code: {response.status_code}")
13         return response
14
15 app.add_middleware(LoggingMiddleware)
16
17
18 @app.get("/items/{item_id}")
19 async def read_item(item_id: int):
20     return {"item_id": item_id}
21
```

1.7. FastAPI 종합 예제

모든 요소를 종합하여 예제를 만들어 보겠습니다.

main.py

```
1  from fastapi import FastAPI, HTTPException
2  from pydantic import BaseModel
3
4  app = FastAPI()
5
6  class Item(BaseModel):
7      name: str
8      description: str = None
9      price: float
10     tax: float = None
11
12 items = {}
13
14 @app.get("/")
15 async def read_root():
16     return {"Hello": "World"}
17
18 @app.get("/items/{item_id}")
19 async def read_item(item_id: int):
       if item_id not in items:
20         raise HTTPException(status_code=404, detail="Item not
   found")
21     return items[item_id]
22
23 @app.post("/items/")
24 async def create_item(item: Item):
25     item_id = len(items) + 1
26     items[item_id] = item
27     return {"item_id": item_id, **item.dict()}
28
```

이제 FastAPI를 사용하여 기본적인 웹 애플리케이션을 만들 수 있습니다. FastAPI는 고성능 비동기 프레임워크로, RESTFul API를 쉽게 구축하고 자동 문서화를 제공합니다. 더 많은 기능과 세부 설정은 FastAPI 공식 문서(https://fastapi.tiangolo.com/)를 참고하세요.

1.8. 애플리케이션 실행

Uvicorn을 사용하여 애플리케이션을 실행합니다.

```
uvicorn main:app --reload
```

기본 포트 번호는 8000번입니다. localhost:8000으로 서버 실행을 테스트하세요.

서버의 실행되는 포트를 바꾸고 싶다면 --port 옵션을 추가하세요.

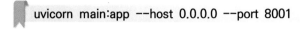

```
uvicorn main:app --host 0.0.0.0 --port 8001
```

2절. Spring Boot를 이용한 자바 웹 애플리케이션

2.1. JDK 설치

1) JDK 종류

자바 프로그램 언어로 애플리케이션을 개발하기 위해서는 개발 환경이 있어야 합니다. 오라클(Oracle)사[1]는 컴파일러, 인터프리터 등의 여러 자바 환경 도구들을 배포하고 있습니다.

JDK(Java Development Kit)는 오라클 홈페이지, OpenJDK 또는 이클립스 어답티움 홈페이지 등에서 내려받을 수 있습니다. 홈페이지에는 여러 운영체제를 위한 개발 도구를 배포하고 있으므로 자신의 운영체제와 맞는 개발 도구를 내려받을 수 있습니다.

표 1. JDK 종류와 다운로드 주소

JDK 종류	다운로드 주소
Oracle Java SE JDK[2]	https://www.oracle.com/java/technologies/
Open JDK	https://openjdk.org/ - Oracle Open JDK https://adoptium.net/ - Eclipse Adoptium

2024년 1월 기준으로 오라클 공식 사이트에서는 JDK 8, 11, 17 버전과 가장 최신 버전인 21버전을 내려받을 수 있습니다. 8, 11, 17, 21 버전은 LTS 버전으로 장기지원(Long Term Support) 버전을 의미합니다.

---

[1] 오라클사는 유닉스 환경에서 사용되는 관계형 데이터베이스 관리 시스템(RDBMS)인 오라클을 판매하는 회사입니다. 오라클 데이터베이스는 현재 가장 널리 사용되는 대표적인 RDBMS 제품 중 하나입니다.

[2] https://java.sun.com/

2) JDK 다운로드

https://adoptium.net/에 접속해서 프로그램을 내려받으세요. 어답티움 사이트의 메인 화면에서 [Latest LTS Release] 버튼을 클릭하면 가장 최근의 LTS 버전 JDK를 내려받을 수 있습니다.

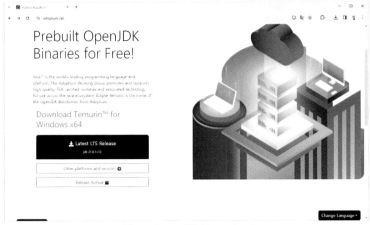

그림 1. Java SE Downloads

● 반드시 가장 최신 버전 JDK를 사용하지 않아도 됩니다. 그렇더라도 가능하면 LTS 버전을 사용할 것을 권합니다. 또한 어답티움의 JDK가 아닌 오라클의 OpenJDK 또는 오라클의 Java SE JDK를 내려받아 사용해도 됩니다.

3) JDK 설치

윈도우용 JDK를 내려받았다면 더블클릭하여 설치를 시작할 수 있습니다. 윈도우 운영체제에 설치할 거라면 설치되는 기본 디렉토리는 C:\Program Files\Eclipse Adoptium\jdk-21.x.y.z-hotspot\ 아래입니다. 일반적으로 자바 개발자들은 C:\Program Files 디렉토리에 자바를 설치하는 것보다 특정 디렉토리를 지정(예: C:\dev)하고 그 아래에 설치하는 것을 선호합니다. 저 또한 설치 디렉토리를 변경하고 설치할 것입니다. 저는 C:\dev\jdk-21 디렉토리에 JDK를 설치하겠습니다. JDK를 설치하는 디렉토리가 반드시 C:\dev\jdk-21일 필요는 없습니다. JDK를 찾기 쉬운 디렉토리에 설치해 놓는다면 JDK가 있어야 하는 여러 상황에 유용하게 사용됩니다.

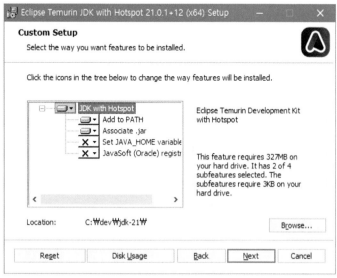

그림 2. 압축 풀어 놓기

여러분이 이클립스(Eclipse) 개발 도구를 내려받아 설치한다면 JDK를 직접 설치할 필요는 없습니다. 이클립스 설치 시 JDK가 자동 설치되도록 할 수 있습니다. 그럼에도 이렇게 직접 JDK를 설치하는 이유는 JDK가 이클립스에서만 사용하는 것이 아니기 때문입니다. 자바를 이용해서 웹 애플리케이션을 개발할 때 여러 도구에 JDK가 필요합니다.

JDK는 설치 작업 외에 환경변수를 설정하는 작업을 추가로 해줘야 합니다.

4) JAVA_HOME 환경변수 설정

JDK 설치 후 환경변수를 설정해야 합니다. 환경변수 설정은 윈도우에서 시작 메뉴 옆의 검색 입력창에 "시스템 환경 변수 편집"으로 검색하여 환경변수 설정 창을 실행시킬 수 있습니다. 이곳에서 환경변수는 JAVA_HOME과 PATH를 설정하세요.

JAVA_HOME 환경변수는 시스템 내의 다른 응용프로그램이나 개발 도구에 JDK가 설치된 디렉토리를 알려주는 기능을 합니다.

```
변수: JAVA_HOME
값: C:\dev\jdk-21
```

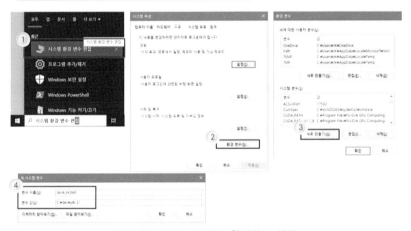

그림 3. JAVA_HOME 환경변수 설정

● Mac OS에서는 환경변수 설정 후 'source ~/.bash_profile' 명령으로 셸 프로파일을 실행해야 설정했던 환경변수가 적용됩니다.

```
Mac OS는 ~/.bash_profile에 아래 내용 추가

export JAVA_HOME=<JDK 경로>
```

5) PATH 환경변수 설정

PATH는 javac.exe, java.exe 등 자바 실행 파일을 사용하기 위해 이 파일들의 위치를 알려줍니다. 환경변수 설정 창에서 [편집] 버튼을 눌러 환경변수 편집창이 보이면 이곳에서 [새로 만들기] 버튼을 클릭하고 %JAVA_HOME%\bin을 입력하세요[3].

```
변수: PATH
값: %JAVA_HOME%\bin
```

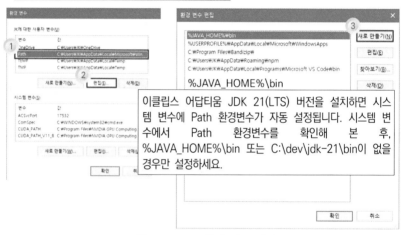

이클립스 어답티움 JDK 21(LTS) 버전을 설치하면 시스템 변수에 Path 환경변수가 자동 설정됩니다. 시스템 변수에서 Path 환경변수를 확인해 본 후, %JAVA_HOME%\bin 또는 C:\dev\jdk-21\bin이 없을 경우만 설정하세요.

그림 4. PATH 환경 변수 설정

● 환경변수를 입력한 후 [위로 이동] 버튼을 클릭해서 맨 위로 올려 두면 이 경로의 파일들이 가장 먼저 적용됩니다.

● Mac OS에서는 환경변수 설정 후 'source ~/.bash_profile' 명령으로 쉘 프로파일을 실행해야 설정했던 환경변수가 적용됩니다.

```
Mac OS는 ~/.bash_profile에 아래 내용 추가

export PATH=$JAVA_HOME/bin:$PATH
```

---

3) %JAVA_HOME%는 JAVA_HOME 환경변수의 값을 의미입니다.

6) 자바 버전 확인

JDK 설치가 끝나면 필수적인 자바프로그래밍 환경은 갖추게 됩니다. JDK 설치가 정상적으로 되었는지 확인하기 위해서는 명령 프롬프트 (cmd) 또는 파워쉘(powershell)4) 창에서 설치된 자바 버전을 확인하면 됩니다. 설치한 자바의 버전이 다음 명령으로 버전이 올바르게 출력되어야 합니다.

```
javac -version
```

```
java -version
```

```
C:\Users\JK>javac -version
javac 21.0.1

C:\Users\JK>java -version
openjdk version "21.0.1" 2023-10-17 LTS
OpenJDK Runtime Environment Temurin-21.0.1+12 (build
21.0.1+12-LTS)
OpenJDK 64-Bit Server VM Temurin-21.0.1+12 (build 21.0.1+12-LTS,
mixed mode, sharing)
```

그림 5. 자바 버전 확인하기

● 자바의 세부 버전은 설치하는 시기에 따라 다를 수 있습니다.

다음은 자바 프로젝트를 만들기 위한 개발 환경을 설명합니다. 이 책은 이클립스를 이용해서 프로젝트를 만들고 실행합니다. 그렇지만 VSCode를 이용해서도 자바코드를 작성하고 실행할 수 있습니다.

---

4) 명령 프롬프트(Command Prompt) 창은 윈도우의 시작 버튼 옆의 검색 입력을 클릭하고 cmd를 입력하여 실행할 수 있습니다. 파워쉘(PowerShell) 창은 윈도우의 개선된 명령 프롬프트 창입니다. 파워쉘 창의 실행 명령은 powershell입니다.

2.2. 이클립스를 이용한 자바 개발

이클립스를 이용해서 스프링 프로젝트 개발 환경을 구성하는 방법은 3가지가 있습니다.
- www.egovframe.go.kr에서 제공하는 전자정부표준프레임워크
- spring.io에서 제공하는 Spring Tools 4
- 이클립스에 Spring Tools 4 플러그인 설치

1) Spring Tools 4 설치하기

스프링 공식사이트에서 Spring Tools 4 for Eclipse를 내려받을 수 있습니다. 스프링 부트를 이용한 프로젝트 생성 및 실행은 이 방법이 가장 쉽습니다.
- https://spring.io/tools

내려받은 파일은 확장자가 '.jar'입니다. JDK가 설치되어 있고 Path 환경변수가 설정되어 있다면 더블클릭만 하면 '.jar' 파일이 있는 디렉토리에 압축이 풀립니다.

스프링 공식 사이트에서 제공하는 Spring Tools 4는 Spring Legacy Project 지원하지 않습니다. Sprint Tools 4버전은 Spring Starter Project를 이용하고 스프링 부트 프레임워크 기반 프로젝트를 생성할 수 있도록 합니다.

그림 6. Spring Tool Suite 4

● 스프링 부트 애플리케이션이 JDK 17버전에서 컴파일되었으므로, JDK도 그 이상이어야 합니다.

2) 스프링 스타터 프로젝트

이클립스에서 File 〉 New 〉 Spring Starter Project를 선택하면 스프링 부트 프로젝트를 생성할 수 있습니다. 테스트만 할 목적이면 기본값을 그대로 사용해도 됩니다. 그러나 톰캣에서 실행시키려면 Packaging은 War를 선택하세요. 그래야 pom.xml 파일에 패키징 타입이 war로 설정됩니다.

다음 표는 스프링 스타터 프로젝트의 입력 항목들입니다.

그림 7. New Spring Starter Project

표 2. Spring Starter Project의 항목들

항목	기본값	설명
Service URL	http://start.spring.io	스프링 프로젝트의 서비스 URL입니다.
Name	demo	프로젝트의 이름으로 만들어집니다.
Type	Maven / Gradle	라이브러리 의존성 관리 도구를 지정합니다.
Packaging	Jar / War	패키징할 기본 형식을 지정합니다.
Java Version	17	자바의 버전을 지정합니다.
Language	Java / Kotlin / Groovy	사용할 언어를 지정합니다.
Group	com.example	그룹 이름을 지정합니다. 주로 도메인 이름까지 사용합니다.
Artifact	demo	아티팩트는 메이븐 빌드의 결과로 얻을 수 있는 일반적인 jar 나 war 또는 여타의 실행 파일의 이름으로 지정됩니다.
Version	0.0.1-SNAPSHOT	버전을 지정합니다.
Description	Demo project for Spring Boot	이 프로젝트의 설명을 기록합니다.
Package	com.example.demo	기본 패키지 이름을 지정합니다.

2.3. 부트 프로젝트 생성

이클립스에서 [File] 〉 [New] -〉 [Spring Starter Project] 메뉴를 선택해서 새로운 부트 프로젝트 생성을 시작하세요. 새로 만드는 프로젝트의 기본정보는 다음과 같습니다.

Name:	myapp		
Type:	Maven	Packaging:	War
Java Version:	21	Language:	Java
Group:	com.example		
Artifact:	myapp		
Version:	1.0		
Description:	인공지능 서비스		
Package:	com.example.myapp		

이 프로젝트는 타임리프(Thymeleaf) 뷰 템플릿을 사용합니다. 프로젝트 생성 시 부트 버전과 의존성은 아래와 같습니다.
- Spring Boot Version: 3.3.2
- Developer Tools
  - Spring Boot DevTools
- Template Engines
  - Thymeleaf
- Web
  - Spring Web
  - Spring Reactive Web

● 지금 당장 데이터베이스를 사용할 것은 아니므로 데이터베이스 관련 의존성은 선택하지 않아도 됩니다.

2.4. 스프링 설정파일

이 프로젝트는 데이터베이스 연결을 사용하지 않습니다. 그래서, src/main/resources/ 디렉토리 아래에 있는 스프링 설정 파일에 데이터소스 자동 설정을 제외하는 설정을 추가하세요. 다음 코드는 한 줄로 입력하세요.

application.properties

```
1  spring.autoconfigure.exclude=org.springframework.boot.autoconfigure.jdbc.DataSourceAutoConfiguration
```

2.5. 홈 컨트롤러와 프로젝트 실행

홈 컨트롤러와 HTML 문서를 작성하고 애플리케이션의 실행을 테스트하세요. 다음은 홈 컨트롤러입니다.

HomeController.java

```java
1  package com.example.myapp.controller;
2
3  import org.springframework.stereotype.Controller;
4  import org.springframework.web.bind.annotation.GetMapping;
5
6  @Controller
7  public class HomeController {
8
9      @GetMapping("/")
10     public String home() {
11         return "index";
12     }
13 }
```

src/main/resources/ 아래의 templates/ 디렉토리에 index.html 파일을 추가하세요.

index.html

```
1  <!DOCTYPE html>
2  <html>
3  <head>
4  <meta charset="UTF-8">
5  <title>Welcome</title>
6  </head>
7  <body>
8  <h1>Welcome Java</h1>
9  </body>
10  </html>
```

이클립스에 [Run] 〉 [Run AS] 〉 [Spring Boot App] 메뉴가 있다면 프로젝트를 선택하고 스프링 부트 프로젝트를 실행하세요. 만일 이 메뉴가 없다면 프로젝트에 MyappApplication 파일을 선택한 후 [Run] 〉 [Run As] 〉 [Java Application] 메뉴를 선택하면 스프링 부트 프로젝트를 실행할 수 있습니다. 프로젝트가 오류 없이 정상 실행되면 브라우저를 이용해서 아래처럼 페이지가 로드되는 것을 확인하세요.

그림 8. http://localhost:8080

2장. 자바 스프링 부트와 파이썬 FastAPI로 배우는 객체 탐지: AI 모델 연동 및 이미지 처리

자바 스프링 부트를 이용한 웹 애플리케이션에서 파이썬의 FastAPI를 이용한 AI 서버와 통신하는 방법을 설명합니다.

1절. 비동기 웹서비스 아키텍처와 개발 환경

1.1. 시스템 아키텍처

이 장에서 구현해야 할 아키텍처는 아래와 같습니다.

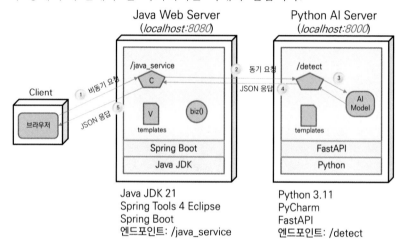

그림 1. 비동기 웹서비스 아키텍처

사용자가 자바 웹 페이지에 접속한 후 인공지능 서비스를 요청하면 자바의 컨트롤러는 인공지능서비스를 제공하는 서버에 모델의 실행을 요청합니다.

인공지능 모델이 있는 파이썬 FastAPI 서버는 요청을 받아 모델을 실행한 후 그 결과를 JSON 형식으로 응답합니다.

자바의 컨트롤러는 인공지능 서버의 결과를 그대로 JSON 문자열로 응답하며 HTML에서 자바스크립트로 비동기 요청한 결과를 받아 화면에 결과를 출력합니다.

1.2. 개발 환경

1) 자바

자바 개발 환경은 스프링 부트 프로젝트를 만들고 실행할 수 있는 환경이어야 합니다. 이 책에서 테스트에 사용한 도구 및 라이브러리는 아래와 같습니다.

표 1. 자바 개발 환경

도구 및 라이브러리	버전	다운로드
JDK	21 LTS	https://adoptium.net/
Spring Tools 4 for Eclipse	4.24.0	https://spring.io/tools
Spring Boot	3.3.2	스프링 부트 버전은 2.5 이상이어야 합니다.

● 반드시 최신 버전의 JDK, Eclipse를 사용할 필요는 없습니다. `전자정부표준프레임워크` 개발 환경을 사용하거나 스프링 공식 사이트(spring.io)에서 내려받은 `Spring Tools 4 for Eclipse`를 사용한다면 `Spring Tools 4` 플러그인을 내려받지 않아도 됩니다.

● 깃허브[5]의 코드를 내려받아 임포트했을 때 pom.xml 파일에서 아래와 같은 오류가 발생하면 이클립스의 [Windows] 〉 [Preferences] 메뉴에서 `XML (Wild Web Developer)`에 있는 `Download external resources like referenced DTD, XSD`에 대한 체크박스를 선택하세요.
오류 내용: Description Resource Path Location Type cvc-elt.1.a: Cannot find the declaration of element 'project'. pom.xml /myapp line 2 Language Servers

---

5) https://github.com/hjk7902/java2ai

2) 파이썬

파이썬을 이용한 AI 서버의 실행 환경은 파이썬 3.9 이상이면 됩니다. 이 책의 코드를 작성한 환경은 아래와 같습니다.

표 2. 파이썬 개발 환경

도구	버전
파이썬	3.12
PyCharm community edition	2024.2

다음은 이 장에서 사용한 파이썬 라이브러리와 버전 및 주요 기능을 설명한 표입니다.

표 3. 파이썬 라이브러리 주요 기능

라이브러리	버전	주요 기능
fastapi	0.111.1	비동기 웹 프레임워크, 자동 OpenAPI 문서 생성
uvicorn	0.30.1	고성능 비동기 서버, ASGI 표준 지원
pydantic	2.7.1	데이터 검증 및 직렬화, 타입 힌팅, 설정 관리
Pillow	10.3.0	이미지 열기, 저장, 변환, 다양한 이미지 처리 작업
numpy	1.24.4	수치 계산, 배열 및 행렬 연산, 다양한 수학 함수
requests	2.32.3	간단한 HTTP 요청 및 응답 처리
ultralytics	8.2.58	YOLOv8 객체 탐지 모델 제공
opencv-python	4.10.0	이미지 및 비디오 처리, 컴퓨터 비전 기능
python-multipart	0.0.9	멀티파트 폼 데이터를 파싱하기 위해 사용

프로젝트를 위해 필요한 라이브러리 설치 명령은 아래와 같습니다.

pip install fastapi uvicorn pydantic Pillow numpy requests

pip install ultralytics opencv-python python-multipart

위의 명령처럼 두 개의 pip 명령을 사용할 필요는 없습니다. 모든 라이브러리를 한 번에 설치해도 되고, 하나씩 설치해도 됩니다.

2절. 파이썬 FastAPI 프로젝트

2.1. 테스트를 위한 RestAPI 구현

GET 방식 요청을 테스트하기 위해서 "Hello FastAPI"라는 메시지를
JSON 형식으로 반환 기본 엔드포인트를 추가합니다.

main.py

```
1  from fastapi import FastAPI
2
3  app = FastAPI()
4
5  @app.get("/")
6  async def read_root():
7      return {"message": "Hello FastAPI"}
8
9  if __name__ == "__main__":
10     import uvicorn
11     uvicorn.run(app, host="0.0.0.0", port=8000)
```

2.2. FastAPI 앱 실행

다음 명령을 이용해서 서버를 실행하세요. 서버가 실행되면 브라우저
에서 요청을 테스트하고 그 결과가 출력되어야 합니다.

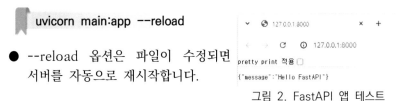

uvicorn main:app --reload

● --reload 옵션은 파일이 수정되면
서버를 자동으로 재시작합니다.

pretty print 적용 □

{"message":"Hello FastAPI"}

그림 2. FastAPI 앱 테스트

2.3. 이미지 객체 탐지 서비스 구현

다음은 POST 요청을 통해 이미지가 전송되면 인공지능 객체 탐지 모델을 이용해서 객체를 탐지하고 그 결과 이미지를 base64 인코딩된 문자열로 반환하는 서비스를 구현하는 코드를 설명합니다.

1) 라이브러리 및 모듈 임포트

관련 라이브러리와 모듈들을 임포트하세요.

main.py

```
1  from fastapi import FastAPI, UploadFile, File, Form
2  from pydantic import BaseModel
3  import io
4  import base64
5  from PIL import Image
6  import numpy as np
7  from ultralytics import YOLO
8  import cv2
9
```

- ● FastAPI: FastAPI 애플리케이션을 생성하고 라우팅을 처리합니다.
- ● UploadFile, File, Form: 파일 업로드와 폼 데이터 처리를 위한 FastAPI의 유틸리티들입니다.
- ● JSONResponse: JSON 응답을 생성하는 데 사용됩니다.
- ● BaseModel: Pydantic의 데이터 모델을 정의하는 데 사용됩니다.
- ● io: 파일 입출력을 위한 모듈입니다.
- ● base64: 데이터를 Base64로 인코딩 및 디코딩합니다.
- ● PIL (Pillow): 이미지 처리 라이브러리입니다.
- ● numpy: 배열 및 행렬 연산을 위한 라이브러리입니다.
- ● YOLO: 객체 탐지를 위한 YOLO 모델을 사용합니다.
- ● cv2 (OpenCV): 컴퓨터 비전 작업을 위한 라이브러리입니다.

2) FastAPI 애플리케이션 인스턴스 생성

다음은 FastAPI 애플리케이션 인스턴스를 생성합니다.

main.py

```
10   app = FastAPI()
11
```

3) YOLOv8 모델 로드

다음은 YOLOv8 모델을 로드합니다. yolov8n.pt는 모델의 가중치 파일입니다.

main.py

```
12   model = YOLO('yolov8n.pt')  # YOLOv8 모델 로드
13
14
```

4) 데이터 모델 정의

다음은 Pydantic을 사용하여 데이터 모델을 정의합니다. 이 모델은 응답 데이터를 구조화하는 데 사용됩니다.

main.py

```
15   # 데이터 모델 정의
16   class DetectionResult(BaseModel):
17       message: str
18       image: str
19
20
```

● message: 클라이언트가 보낸 메시지입니다.
● image: Base64로 인코딩된 탐지 결과 이미지입니다.

5) 객체 탐지 함수

다음은 객체 탐지를 위한 함수정의입니다. 모델에 이미지를 넣어 객체를 탐지하고 그 결과에서 바운딩박스 정보를 추출한 후 이미지에 바운딩 박스와 클래스 이름, 그리고 신뢰도(confidence)를 표시한 후 반환합니다. 바운딩박스 정보를 표시하기 위해 OpenCV 라이브러리의 rectangle() 함수와 putText() 함수를 사용했습니다.

main.py

```
21  def detect_objects(image: Image.Image):
22      img = np.array(image)  # 이미지를 numpy 배열로 변환
23      results = model(img)  # 객체 탐지
24      class_names = model.names  # 클래스이름 저장
25
26      # 결과를 바운딩 박스, 클래스이름, 정확도로 이미지에 표시
27      for result in results:
28          boxes = result.boxes.xyxy  # 바운딩 박스
29          confidences = result.boxes.conf  # 신뢰도
30          class_ids = result.boxes.cls  # 클래스 이름
31          for box, confidence, class_id in zip(boxes, confidences,
    class_ids):
32              x1, y1, x2, y2 = map(int, box)  # 좌표를 정수로 변환
33              label = class_names[int(class_id)]  # 클래스 이름
34              cv2.rectangle(img, (x1,y1), (x2,y2), (255,0,0), 2)
35              cv2.putText(img, f'{label} {confidence:.2f}', (x1,y1),
    cv2.FONT_HERSHEY_SIMPLEX, 0.9, (255,0,0), 2)
36
37      result_image = Image.fromarray(img)  # 결과 이미지를 PIL로 변환
38      return result_image
39
40
```

● YOLO 모델을 사용하여 객체 탐지를 수행합니다.
● 탐지된 객체에 대해 바운딩 박스를 그리고 정확도 점수를 이미지에 표시합니다.
● 결과 이미지를 다시 PIL 이미지로 변환하여 반환합니다.

6) 기본 엔드포인트

다음은 기본 경로(/)에 대한 GET 요청을 처리합니다.

main.py

```
41  @app.get("/")
42  async def index():
43      return {"message": "Hello FastAPI"}
44
45
```

● "Hello FastAPI"라는 메시지를 JSON 형식으로 반환합니다.

7) 객체 탐지 엔드포인트

다음은 객체 탐지 서비스를 구현한 엔드포인트입니다.

main.py

```
46  @app.post("/detect", response_model=DetectionResult)
47  async def detect_service(message: str = Form(...), file: UploadFile
    = File(...)):
48      # 이미지를 읽어서 PIL 이미지로 변환
49      image = Image.open(io.BytesIO(await file.read()))
50
51      # 알파 채널 제거하고 RGB로 변환
52      if image.mode == 'RGBA':
53          image = image.convert('RGB')
54      elif image.mode != 'RGB':
55          image = image.convert('RGB')
56
57      # 객체 탐지 수행
58      result_image = detect_objects(image)
59
60      # 이미지 결과를 base64로 인코딩
61      buffered = io.BytesIO()
62      result_image.save(buffered, format="JPEG")
```

```
63    img_str = base64.b64encode(buffered.getvalue()).decode("utf-8")
64
65    return DetectionResult(message=message, image=img_str)
66
67
```

● /detect 경로에 대한 POST 요청을 처리합니다.
● 클라이언트로부터 업로드된 이미지를 읽고 PIL 이미지로 변환하고, 알파 채널이 있으면 알파 채널을 제거합니다.
● 객체 탐지 함수를 호출하여 탐지 결과 이미지를 얻습니다.
● 탐지 결과 이미지를 Base64 문자열로 인코딩합니다.
● DetectionResult 모델을 사용하여 메시지와 인코딩된 이미지를 JSON 응답으로 반환합니다.

8) 애플리케이션 실행을 위한 정의

다음은 애플리케이션을 실행하기 위한 정의입니다. 이 스크립트가 메인 프로그램으로 실행될 때, uvicorn을 사용하여 FastAPI 애플리케이션을 실행합니다.

main.py

```
68  if __name__ == "__main__":
69      import uvicorn
70      uvicorn.run(app, host="0.0.0.0", port=8000)
71
```

● host="0.0.0.0"은 서버가 모든 네트워크 인터페이스에서 요청을 수락하도록 합니다.
● port=8000은 서버가 8000번 포트에서 실행되도록 합니다.

전체 코드는 아래의 깃허브 주소에서 볼 수 있습니다.
● https://github.com/hjk7902/java2ai -> main.py

2.4. 전체 코드

다음은 전체 코드입니다.

main.py

```
 1  from fastapi import FastAPI, UploadFile, File, Form
 2  from pydantic import BaseModel
 3  import io
 4  import base64
 5  from PIL import Image
 6  import numpy as np
 7  from ultralytics import YOLO
 8  import cv2
 9
10  app = FastAPI()
11
12  model = YOLO('yolov8n.pt') # YOLOv8 모델 로드
13
14
15  # 데이터 모델 정의
16  class DetectionResult(BaseModel):
17      message: str
18      image: str
19
20
21  def detect_objects(image: Image.Image):
22      img = np.array(image) # 이미지를 numpy 배열로 변환
23      results = model(img) # 객체 탐지
24      class_names = model.names # 클래스이름 저장
25
26      # 결과를 바운딩 박스, 클래스이름, 정확도로 이미지에 표시
27      for result in results:
28          boxes = result.boxes.xyxy # 바운딩 박스
29          confidences = result.boxes.conf # 신뢰도
30          class_ids = result.boxes.cls # 클래스
31          for box, confidence, class_id in zip(boxes, confidences,
    class_ids):
```

```python
32              x1, y1, x2, y2 = map(int, box)  # 좌표를 정수로 변환
33              label = class_names[int(class_id)]  # 클래스 이름
34              cv2.rectangle(img, (x1,y1), (x2,y2), (255,0,0), 2)
35              cv2.putText(img, f'{label} {confidence:.2f}', (x1,y1),
   cv2.FONT_HERSHEY_SIMPLEX, 0.9, (255,0,0), 2)
36
37      result_image = Image.fromarray(img)  # 결과 이미지를 PIL로 변환
38      return result_image
39
40
41  @app.get("/")
42  async def index():
43      return {"message": "Hello FastAPI"}
44
45
46  @app.post("/detect", response_model=DetectionResult)
47  async def detect_service(message: str = Form(...), file: UploadFile
   = File(...)):
48      # 이미지를 읽어서 PIL 이미지로 변환
49      image = Image.open(io.BytesIO(await file.read()))
50
51      # 알파 채널 제거하고 RGB로 변환
52      if image.mode == 'RGBA':
53          image = image.convert('RGB')
54      elif image.mode != 'RGB':
55          image = image.convert('RGB')
56
57      # 객체 탐지 수행
58      result_image = detect_objects(image)
59
60      # 이미지 결과를 base64로 인코딩
61      buffered = io.BytesIO()
62      result_image.save(buffered, format="JPEG")
63      img_str = base64.b64encode(buffered.getvalue()).decode("utf-8")
64
65      return DetectionResult(message=message, image=img_str)
66
```

```
67
68  if __name__ == "__main__":
69      import uvicorn
70      uvicorn.run(app, host="0.0.0.0", port=8000)
```

2.5. 서비스 실행 확인

1) FastAPI 앱 실행

파이썬 콘솔에서 다음 명령을 이용해서 서버를 실행하세요.

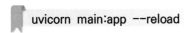 **uvicorn main:app --reload**

● --reload 옵션은 파일이 수정되면 서버를 자동으로 재시작합니다.

2) 비동기 요청 테스트

다음 코드는 requests 라이브러리를 사용하여 FastAPI 서버에 POST 요청을 보내고 응답을 출력하는 예제입니다.

test.py

```
1  import requests
2
3  url = "http://127.0.0.1:8000/detect"
4  message = "Test message"
5  file_path = "sample.jpg"
6
7  with open(file_path, "rb") as file:
8      response = requests.post(url, data={"message": message},
```

```
                    files={"file": file})
 9
10   print(response.json())
```

● url: 요청을 보낼 서버의 URL입니다. 여기서는 로컬 호스트
  (http://127.0.0.1:8000)에서 실행 중인 FastAPI 서버의 /detect
  엔드포인트를 지정합니다.
● message: 서버로 전송할 메시지입니다. 이 메시지는 폼 데이터로
  전송됩니다.
● file_path: 전송할 이미지 파일의 경로입니다. 이 파일은 객체 탐
  지에 사용됩니다. 파일을 미리 준비하세요.

파이썬 명령으로 test.py 파일을 실행하면 POST 방식으로 비동기 요
청을 테스트할 수 있습니다.

 python test.py

{'message': 'Test message', 'image':
 '/9j/4AAQSkZJRgABAQAAAQABAAD/2wBDAAgGBgcGBQgHBwcJCQgKDBQNDAsLDBkSEw8UHRofHhOaHBwgJC4nICIsIx
 /2wBDAQkJCQwLDBgNDRgyIRwhMjIyMjIyMjIyMjIyMjIyMjIyMjIyMjIyMjIyMjIyMjIyMjIyMjIyMj
 /8QAHwAAAQUBAQEBAQEAAAAAAAAAAECAwQFBgcICQoL
 /8QAtRAAAgEDAwIEAwUFBAQAAAF9AQIDAAQRBRIhMUEGE1FhByJxFDKBkaEIIOKxwRVSOfAkM2JyggkKFhcYGRolJic
 h4iJipKTlJWWl5iZmqKjpKWmp6ipqrKztLW2t7i5usLDxMX6x8jJytLT1NXW19jZ2uHi4+Tl5ufo6erx8vP09fb3+Pn

실행 결과는 message 필드의 내용과 객체를 탐지한 이미지를
base64 인코딩한 문자열입니다.

● FastAPI 서버가 이미지에서 객체를 탐지할 때 서버에 출력되는
  로그를 비활성화하려면 다음처럼 logging 레벨을 설정하세요.
  import logging
  logging.getLogger().setLevel(logging.CRITICAL)

3절. 자바 스프링 부트 프로젝트

3.1. 부트 프로젝트 생성

이클립스에서 [File] 〉 [New] -〉 [Spring Starter Project] 메뉴를 선택해서 새로운 부트 프로젝트 생성을 시작하세요. 새로 만드는 프로젝트의 기본정보는 다음과 같습니다.

Name:	myapp		
Type:	Maven	Packaging:	War
Java Version:	21	Language:	Java
Group:	com.example		
Artifact:	myapp		
Version:	1.0		
Description:	인공지능 서비스		
Package:	com.example.myapp		

이 프로젝트는 타임리프(Thymeleaf) 뷰 템플릿을 사용합니다. 프로젝트 생성 시 부트 버전과 의존성은 아래와 같습니다. 지금 당장 데이터베이스를 사용할 것은 아니므로 데이터베이스 관련 의존성은 선택하지 않아도 됩니다.

- Spring Boot Version: 3.3.2
- Developer Tools
  - Spring Boot DevTools
- Template Engines
  - Thymeleaf
- Web
  - Spring Web
  - Spring Reactive Web

3.2. 스프링 설정파일

이 프로젝트는 데이터베이스 연결을 사용하지 않습니다. 그래서, src/main/resources/ 디렉토리에 있는 스프링 설정 파일에 데이터소스 자동 설정을 제외하는 설정을 추가하세요. 다음 코드는 한 줄로 입력하세요.

application.properties

```
1  spring.autoconfigure.exclude=org.springframework.boot.autocon
   figure.jdbc.DataSourceAutoConfiguration
```

3.3. 홈 컨트롤러와 프로젝트 실행

홈 컨트롤러와 HTML 문서를 작성하고 애플리케이션의 실행을 테스트하세요. 다음은 홈 컨트롤러입니다.

HomeController.java

```
1  package com.example.myapp.controller;
2
3  import org.springframework.stereotype.Controller;
4  import org.springframework.web.bind.annotation.GetMapping;
5
6  @Controller
7  public class HomeController {
8
9      @GetMapping("/")
10     public String home() {
11         return "index";
12     }
13 }
```

src/main/resources/ 아래의 templates/ 디렉토리에 index.html 문서를 추가하세요.

index.html

```
 1  <!DOCTYPE html>
 2  <html>
 3  <head>
 4  <meta charset="UTF-8">
 5  <title>Welcome</title>
 6  </head>
 7  <body>
 8  <h1>Welcome Java</h1>
 9  </body>
10  </html>
```

이클립스에 [Run] > [Run AS] > [Spring Boot App] 메뉴가 있다면 프로젝트를 선택하고 스프링 부트 프로젝트를 실행하세요. 만일 이 메뉴가 없다면 프로젝트에 MyappApplication 파일을 선택한 후 [Run] > [Run As] > [Java Application] 메뉴를 선택하면 스프링 부트 프로젝트를 실행할 수 있습니다. 프로젝트가 오류 없이 정상 실행되면 브라우저를 이용해서 아래처럼 페이지가 로드되는 것을 확인하세요.

그림 3. http://localhost:8080

3.4. WebClient 빈 설정

다음 클래스는 WebClient를 구성하고 빈으로 정의하여 애플리케이션에서 사용할 수 있도록 합니다. 여기서 WebClient는 메모리에 버퍼링할 수 있는 최대 크기를 무제한으로 설정하고, 기본 URL을 AI 서버의 주소(http://localhost:5000)로 설정하여 모든 요청에 해당 URL을 기본으로 사용하게 합니다.

WebClientConfig.java

```java
1   package com.example.myapp.config;
2
3   import org.springframework.context.annotation.Bean;
4   import org.springframework.context.annotation.Configuration;
5   import org.springframework.web.reactive.function.client.ExchangeStrategies;
6   import org.springframework.web.reactive.function.client.WebClient;
7
8   @Configuration
9   public class WebClientConfig {
10
11      @Bean
12      WebClient webClient() {
13          return WebClient.builder()
14                  .exchangeStrategies(ExchangeStrategies.builder()
15                      .codecs(configurer -> configurer.defaultCodecs()
16                          .maxInMemorySize(-1)) // unlimited
17                      .build())
18                  .baseUrl("http://localhost:8000")
19                  .build();
20      }
21  }
```

● 이 코드는 업로드한 파일을 AI 서버에 전송하기 위해서 버퍼의 크기 제한을 제한이 없도록 설정합니다.
● baseUrl은 파이썬 AI 서버의 주소를 입력해야 합니다.

3.5. 요청 컨트롤러

이 코드는 Spring Boot에서 RestController를 사용하여 파일과 데이터를 멀티파트 폼 데이터 형식으로 전송하는 REST API 엔드포인트를 구현한 예제입니다.

RestReqController.java

```
1   package com.example.myapp.controller;
2
3   import org.springframework.beans.factory.annotation.Autowired;
4   import org.springframework.http.MediaType;
5   import org.springframework.http.client.MultipartBodyBuilder;
6   import org.springframework.web.bind.annotation.PostMapping;
7   import org.springframework.web.bind.annotation.RestController;
8   import org.springframework.web.multipart.MultipartFile;
9   import org.springframework.web.reactive.function.BodyInserters;
10  import org.springframework.web.reactive.function.client.WebClient;
11
12  @RestController
13  public class RestReqController {
14
15      @Autowired
16      private WebClient webClient;
17
18      @PostMapping("/java_service")
19      public String serviceRequest(MultipartFile file, String message) {
20          MultipartBodyBuilder bodyBuilder = new MultipartBodyBuilder();
21          bodyBuilder.part("message", message);
22          bodyBuilder.part("file", file.getResource());
23          String result = webClient.post().uri("/detect")
24              .contentType(MediaType.MULTIPART_FORM_DATA)
25              .body(BodyInserters.fromMultipartData(bodyBuilder.build()))
26              .retrieve()
27              .bodyToMono(String.class)
28              .block();
29          return result;
```

```
30      }
31   }
```

이 엔드포인트는 WebClient를 사용하여 다른 서버에 POST 요청을
보냅니다. 코드는 파이썬 AI 서버로 파일과 데이터를 전송하고, 그 응
답을 반환합니다.

코드의 자세한 설명은 아래를 참고하세요.

● MultipartBodyBuilder bodyBuilder = new MultipartBodyBuilder():
  멀티파트 폼 데이터를 구성하는 빌더 객체를 생성합니다.

● bodyBuilder.part("data", data): 폼 데이터에 문자열 데이터를
  추가합니다.

● bodyBuilder.part("file", file.getResource()): 폼 데이터에 파일
  을 추가합니다. file.getResource()는 MultipartFile을 Resource
  로 변환합니다.

● webClient.post(): HTTP POST 요청을 생성합니다.

● .uri("/detect"): 요청할 URL의 경로를 설정합니다. 기본 URL은
  WebClient 설정에서 설정된 http://localhost:8000이고, 전체
  URL은 http://localhost:8000/detect가 됩니다.

● .contentType(MediaType.MULTIPART_FORM_DATA): 요청의
  Content-Type을 multipart/form-data로 설정합니다.

● .body(BodyInserters.fromMultipartData(bodyBuilder.build())):
  MultipartBodyBuilder로 구성된 폼 데이터를 요청 본문으로 설
  정합니다.

● .retrieve(): 요청을 실행하고 응답을 받습니다.

● .bodyToMono(String.class): 응답 본문을 Mono⟨String⟩으로 변
  환합니다. Mono는 Reactor의 비동기 타입입니다.

● .block(): 비동기 처리를 동기적으로 블록하여 결과를 반환합니다.

3.6. 비동기 요청을 위한 HTML 페이지

다음은 비동기 요청을 실행하고 결과를 반환받아 화면에 출력할
HTML 문서입니다.

아래의 코드는 자바스크립트를 이용해서 비동기 요청을 구현한 예입
니다. 이 코드는 순수 자바스크립트 코드를 이용했지만, jQuery 등
다른 자바스크립트 라이브러리 또는 프레임워크를 사용할 수 있습니
다.

index.html

```
1   <!DOCTYPE html>
2   <html xmlns:th="http://www.thymeleaf.org">
3   <head>
4   <meta charset="UTF-8">
5   <title>Welcome</title>
6   </head>
7   <body>
8   <h1>Welcome Java.</h1>
9   <form method="post" enctype="multipart/form-data" id="fileUploadForm">
10  데이터 : <input type="text" name="message" value="test hello"><p>
11  파일 : <input type="file" name="file"><p>
12  <input type="button" value=" 비동기 요청 ">
13  </form>
14  <div id="result">여기에 요청 결과가 출력되어야 합니다.</div>
15
16  <script type="text/javascript">
17  var button = document.querySelector("input[type=button]");
18
19  button.addEventListener("click", function() {
20      var form = document.getElementById("fileUploadForm");
21      var form_data = new FormData(form);
22      button.disabled = true;
23
```

```
24      var xhr = new XMLHttpRequest();
25
26      xhr.open("POST", "http://localhost:8080/java_service", true);
27
28      xhr.onload = function() {
29          if (xhr.status >= 200 && xhr.status < 300) {
30              var response = JSON.parse(xhr.responseText);
31              var resultDiv = document.getElementById("result");
32              resultDiv.innerHTML = response.message + "<br>";
33              var img_src = "data:image/png;base64," + response.image;
34              var img = document.createElement("img");
35              img.src = img_src;
36              resultDiv.appendChild(img);
37              button.disabled = false;
38          } else {
39              console.error("ERROR: ", xhr.statusText);
40              alert("fail" + xhr.statusText);
41              button.disabled = false;
42          }
43      };
44
45      xhr.onerror = function() {
46          console.error("ERROR: ", xhr.statusText);
47          alert("fail" + xhr.statusText);
48          button.disabled = false;
49      };
50
51      xhr.send(form_data);
52  });
53  </script>
54  </body>
55  </html>
```

3.7. 요청 테스트

프로젝트를 실행했다면, http://localhost:8080으로 접속한 후 파일을 선택하고 [비동기 요청] 버튼으로 테스트하세요. 선택한 이미지에 탐지한 객체의 바운딩 박스 정보가 표시되어 있어야 합니다.

그림 4. 요청 테스트

이 예제의 흐름은 다음과 같습니다.
① 자바 Rest 컨트롤러로 텍스트와 이미지를 비동기 방식으로 전송
② AI 서버에서 이미지를 받아 객체탐지를 수행
③ AI 서버에서 이미지를 base64 인코딩 문자열로 반환
④ Rest 컨트롤러에서 비동기 방식으로 텍스트와 이미지를 반환
⑤ 비동기 요청한 뷰 페이지에서 결과를 화면에 출력

3.8. 자주 발생하는 오류

이미지가 보이지 않고 오류가 발생할 경우는 파이썬의 실행 로그와 자바의 실행 로그를 통해 오류의 원인을 찾아야 합니다.

● WebClientResponseException$NotFound: 404 Not Found from POST http://localhost:8000/detect1 오류는 자바에서 파이썬의 주소 또는 엔트포인트 URL 잘 못 입력한 경우입니다.

● `422 UNPROCESSABLE_ENTITY` 오류는 클라이언트가 보낸 요청이 서버에서 처리할 수 없는 형식이거나 필요한 데이터가 부족할 때 발생합니다. 이 오류는 주로 요청 데이터가 서버의 예상 형식과 일치하지 않을 때 발생합니다.

● java.lang.IllegalArgumentException: 'part' must not be null 오류는 주로 클라이언트에서 서버로 POST 요청을 보낼 때, 폼 데이터나 파일이 제대로 전송되지 않아서 발생합니다. 이 경우, 클라이언트에서 보내는 요청이 서버가 기대하는 형식과 맞지 않아서 발생할 수 있습니다.

● 파이썬의 실행 로그와 자바의 실행 로그에 아무것도 출력되지 않지만 브라우저에는 `Fail` 경고창일 뜰 경우는 크롬 브라우저의 개발자도구(F12)에서 오류를 확인해 보세요. 브라우저에서 자바 서버에 접속하는 주소를 127.0.0.1로 했지만, 비동기 요청하는 주소가 localhost로 요청했다면 아래와 같은 오류를 볼 수 있습니다.
```
127.0.0.1/:1        Access        to        XMLHttpRequest        at
'http://localhost:8080/java_service' from origin 'http://127.0.0.1:8080'
has been blocked by CORS policy: No 'Access-Control-Allow-Origin' header
is present on the requested resource.
```

● 오른쪽 그림처럼 객체가 너무 많이 탐지될 경우는 윈도우에서 CPU를 사용하는 경우 PyTorch와 관련된 버그입니다. 다음 명령으로 ultralytics 버전을 다운그레이드하고 사용하세요. 제가 테스트한 ultralytics 버전은 PyTorch2.4.0+cpu에서 8.2.58 및 8.2.60버전입니다.
```
pip install ultralytics==8.2.58
```

3장. MQTT를 이용한 실시간 객체 탐지 영상 전송과 수신

AI 서버에서 처리한 영상을 자바 웹에 실시간으로 전송하고 모니터링 하는 서비스를 구축하는 방법을 설명합니다.

1절. 실시간 영상 스트리밍 서비스 개요

1.1. 시스템 아키텍처

그림 1의 아키텍처는 카메라로부터 실시간으로 전송된 데이터를 AI 서버에서 객체를 인식하고 대상 물체를 탐지한 후 그 결과를 웹서버에 전송하여 웹 또는 모바일 화면으로 보여줍니다.

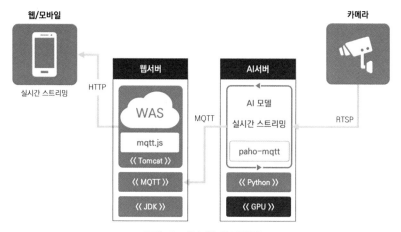

그림 1. 시스템 아키텍처

이 장에서 설명하는 예제는 파이썬 애플리케이션은 카메라에서 전송된 이미지를 MQTT 브로커를 통해 전송합니다. 그러면 자바 웹 애플리케이션이 해당 이미지를 받아 웹 화면에 송출합니다.

파이썬에서 영상을 직접 웹 화면에 출력하는 것도 가능하겠지만 이 장의 예는 AI 서버와 웹서버가 분리되어 있고 웹서버는 자바 기반이라는 가정을 세우고 설명합니다. 이 예제를 응용하면 다양한 AI 서비스 실증에 활용할 수 있습니다.

1.2. 개발 환경

다음은 이 장의 자바와 파이썬 개발 환경입니다.

1) 자바

자바 개발 환경은 스프링 부트 프로젝트를 만들고 실행할 수 있는 환경이어야 합니다.

표 1. 자바 개발 환경

도구 및 라이브러리	버전	다운로드
JDK	21 LTS	https://adoptium.net/
Spring Tools 4 for Eclipse	4.24.0	https://spring.io/tools
Spring Boot	3.3.2	스프링 부트 버전은 2.5 이상이어야 합니다.
MQTT.js	5.10.0	https://github.com/mqttjs/MQTT.js

2) 파이썬

파이썬을 이용한 AI 서버의 실행 환경은 파이썬 3.9+이면 됩니다. 이 책의 코드를 작성한 환경은 아래와 같습니다.

표 2. 파이썬 개발 환경

도구 및 라이브러리	버전
파이썬	3.12
PyCharm community edition	2024.2
opencv-python	4.10.0
ultralytics	8.2.58
paho-mqtt	1.6.1

pip install opencv-python ultralytics paho-mqtt

1.3. MQTT

파이썬 AI 서버에서 카메라의 프레임에서 객체를 탐지한 후 그 결과를 MQTT 서버에 데이터를 보내면 자바에서 이를 화면에 실시간으로 출력해야 합니다. 그러기 위해서 MQTT 서버와 클라이언트가 필요합니다.

MQTT는 경량의 메시지 브로커 기반의 프로토콜로, 낮은 대역폭과 제한된 환경에서도 신뢰성 있게 통신할 수 있도록 설계되었습니다.

1) MQTT 서버

MQTT 서버, 흔히 브로커라고 부르며, 클라이언트 간의 메시지를 중계하는 역할을 합니다. 이 책은 MQTT 서버로 moisquitto-2.0.18을 사용합니다. 이 프로그램은 아래 주소에서 내려받을 수 있습니다.
● https://mosquitto.org/download/

모스키토 설정 파일을 열어 아래 내용대로 설정을 추가하세요. 윈도우 운영체제에 모스키토를 설치했다면 `C:\Program Files\mosquitto` 디렉토리의 mosquitto.conf 파일이 모스키토 설정 파일입니다.

mosquitto/mosquitto.conf

```
1  # MQTT 기본 리스너 설정
2  listener 1883
3  protocol mqtt
4
5  # WebSocket 리스너 설정
6  listener 9001
7  protocol websockets
8
9  allow_anonymous true
```

2) MQTT 클라이언트

MQTT 클라이언트는 MQTT 브로커에 연결하여 메시지를 게시 (publish)하거나 구독(subscribe)하는 장치나 애플리케이션입니다.

파이썬은 paho-mqtt 라이브러리를 이용해서 MQTT 브로커에 이미지 전송을 구현하며, 자바에서 mqtt.js 라이브러리를 이용해서 이미지 수신을 구현합니다. mqtt.js는 Node.js 환경에서 MQTT 프로토콜을 구현한 자바스크립트 클라이언트 라이브러리로, IoT(사물 인터넷) 애플리케이션에서 많이 사용되고 있습니다.

파이썬에서 paho-mqtt 라이브러리가 설치되어 있어야 합니다.

 pip install paho-mqtt

3) 방화벽 설정

윈도우 방화벽에 MQTT 브로커를 위한 설정을 해야 합니다.

① Windows Defender 방화벽 -〉 고급 설정 -〉 인바운드 규칙 -〉 [새 규칙...]을 클릭해서 인바운드 방화벽 규칙을 추가하세요.

② '규칙 종류 -〉 포트 -〉 작업 -〉 프로필 -〉 이름' 순서로 설정합니다.
  * 규칙 종류 : 포트
  * 프로토콜 및 포트 : TCP, 특정 로컬 포트: 1883, 9001[6)
  * 작업 : 연결 허용
  * 프로필 : 도메인 / 개인 / 공용 모두 선택
  * 이름 : MQTT

---

6) 1883은 MQTT 기본 리스너의 포트이고, 9001은 웹소켓 리스너 포트입니다.

2절. AI 서버에서 실시간 객체 탐지 후 영상 스트리밍

이 절에서 설명하는 코드는 OpenCV와 YOLO 모델을 사용하여 카메라 프레임에서 실시간으로 객체를 탐지하고, 탐지 결과를 MQTT 프로토콜을 통해 전송하는 프로그램입니다.

2.1. 객체 탐지 후 MQTT 브로커에 영상 스트리밍하기

다음은 코드의 주요 부분과 그 기능에 대한 자세한 설명입니다.

1) 라이브러리 임포트

먼저 필요한 라이브러리를 임포트해야 합니다.

camera.py

```
1  import base64
2  import io
3  from PIL import Image
4  import cv2
5  import numpy as np
6  import paho.mqtt.client as mqtt
7  import json
8  from ultralytics import YOLO
9
```

- base64: 이미지를 Base64로 인코딩하기 위해 사용합니다.
- io: 입력/출력 작업을 위한 표준 라이브러리입니다.
- PIL.Image: 이미지를 처리하기 위한 라이브러리입니다.
- cv2: OpenCV 라이브러리, 이미지 및 비디오 처리에 사용합니다.
- numpy: 배열 및 수치 계산을 위한 라이브러리입니다.

● paho.mqtt.client: MQTT 프로토콜을 사용하여 메시지를 보내기 위한 라이브러리입니다.
● json: JSON 형식으로 데이터를 인코딩 및 디코딩하기 위한 라이브러리입니다.
● ultralytics.YOLO: 객체 탐지를 위한 YOLOv8 모델을 로드하기 위해 사용합니다.

2) YOLO 모델 로드

다음은 YOLOv8(You Only Look Once version 8) 모델을 로드합니다. YOLOv8은 객체 탐지를 위한 최신 버전의 YOLO 모델 시리즈 중 하나입니다.

camera.py

```
10  # YOLO 모델 로드
11  model = YOLO('yolov8n.pt')
12
```

● yolov8n.pt는 YOLOv8 모델의 Nano 버전입니다. 이 모델은 가장 작은 크기와 가장 빠른 속도를 제공하도록 설계되었습니다.
● `.pt` 파일 확장자는 PyTorch에서 사용되는 모델 파일을 나타냅니다.

3) MQTT 클라이언트 설정 및 브로커 연결

다음 코드는 MQTT 클라이언트 객체를 만들고, MQTT 브로커에 연결합니다.

camera.py

```
13  # MQTT 설정
14  broker = 'localhost'
```

```
15   port = 1883
16   topic = '/camera/objects'
17
18   # MQTT 클라이언트 설정
19   client = mqtt.Client()
20
21
22   def on_connect(client, userdata, flags, rc):
23       print(f"Connected with result code {rc}")
24
25
26   client.on_connect = on_connect
27   client.connect(broker, port, 60)
28
29
```

● broker: MQTT 브로커의 주소입니다.

● port: MQTT 브로커의 포트입니다.

● topic: MQTT 토픽(주제)입니다. 여기서는 객체 탐지 결과를 이 이름의 토픽으로 전송합니다. 다른 클라이언트에서 이 이름을 알 아야 보낸 메시지를 받을 수 있습니다.

● client: MQTT 클라이언트 객체를 생성합니다.

● on_connect(): 이 함수는 클라이언트가 브로커에 연결될 때 호출 되는 콜백 함수입니다.

● client.connect: MQTT 브로커에 연결합니다.

4) 클래스 라벨별 색상 설정 함수 정의

클래스 라벨별 바운딩박스와 텍스트의 색을 다르게 설정하려면 아래 의 함수를 사용하세요. get_colors(): 객체 탐지 결과를 시각화할 때 사용할 색상을 생성하는 함수입니다.

● class_names: YOLO 모델의 클래스 이름들입니다.

camera.py

```
30  # 클래스 라벨별 색상 설정 함수
31  def get_colors(num_colors):
32      np.random.seed(0)
33      colors = [tuple(np.random.randint(0, 255, 3).tolist()) for _ in
    range(num_colors)]
34      return colors
35
36
37  # 클래스 라벨 및 색상 설정
38  class_names = model.names
39  num_classes = len(class_names)
40  colors = get_colors(num_classes)
41
42
```

- ● num_classes: 클래스의 수입니다.
- ● colors: 클래스별 색상 리스트입니다. cv2.rectangle() 함수 또는 cv2.putText()에서 색을 지정할 때 `colors[int(class_id)]`를 사용하면 클래스별로 색을 다르게 지정할 수 있습니다.

5) 객체 탐지 함수

다음 함수는 이미지를 입력으로 받아 객체를 탐지하고, 바운딩 박스와 클래스 이름을 이미지에 표시하고 반환합니다.

camera.py

```
43  def detect_objects(image: np.array):
44      results = model(image, verbose=False) # 객체 탐지
45      class_names = model.names # 클래스 이름 저장
46
47      # 결과를 바운딩 박스와 정확도로 이미지에 표시
48      for result in results:
49          boxes = result.boxes.xyxy # 바운딩 박스
50          confidences = result.boxes.conf # 신뢰도
```

```
51          class_ids = result.boxes.cls # 클래스
52          for box, confidence, class_id in zip(boxes, confidences,
   class_ids):
53              x1, y1, x2, y2 = map(int, box) # 좌표를 정수로 변환
54              label = class_names[int(class_id)] # 클래스 이름
55              cv2.rectangle(image, (x1,y1), (x2,y2),
   colors[int(class_id)], 2)
56              cv2.putText(image, f'{label} {confidence:.2f}',
   (x1,y1), cv2.FONT_HERSHEY_SIMPLEX, 0.9, colors[int(class_id)], 2)
57
58      return image
59
60
```

6) 카메라에서 프레임 캡처 및 객체 탐지 루프

이 코드는 YOLO 모델을 사용하여 실시간으로 객체를 탐지하고, 탐지 결과를 시각화하여 화면에 표시하며, 이를 MQTT 주제를 통해 전송합니다.

camera.py

```
61  # 카메라에서 프레임 캡처
62  cap = cv2.VideoCapture(0)
63
64  while cap.isOpened():
65      ret, frame = cap.read()
66      if not ret:
67          break
68
69      result_image = detect_objects(frame)
70
71      # 이미지 결과를 base64로 인코딩
72      _, buffer = cv2.imencode('.jpg', result_image)
73      jpg_as_text = base64.b64encode(buffer).decode('utf-8')
```

```
74
75    # 객체 탐지 이미지를 전송
76    payload = json.dumps({'image': jpg_as_text})
77    client.publish(topic, payload)
78
79    # 프레임을 화면에 표시
80    cv2.imshow('Frame', np.array(result_image))
81
82    # 'q' 키를 누르면 종료
83    if cv2.waitKey(1) & 0xFF == ord('q'):
84        break
85
86  # 리소스 해제
87  cap.release()
88  cv2.destroyAllWindows()
89  client.disconnect()
```

● cap = cv2.VideoCapture(0): 카메라에서 비디오 캡처를 시작합니다. VideoCapture() 함수의 인수는 0은 PC에 연결된 카메라의 번호입니다. 0번으로 카메라가 연결되지 않는다면 카메라 연결을 확인하고, 1번 또는 2번 등 다른 번호를 사용해 보세요. 윈도우 운영체제에서는 더 빠른 카메라 연결을 위해 두 번째 인수로 cv2.CAP_DSHOW를 넣을 수 있습니다.

```
cap = cv2.VideoCapture(0, cv2.CAP_DSHOW)
```

● while cap.isOpened(): 카메라가 열려 있는 동안 루프를 실행합니다.

● ret, frame = cap.read(): 프레임을 읽어옵니다. 프레임을 읽지 못하면 ret는 False, frame은 None입니다. 프레임을 읽으면 ret는 True, frame은 이미지 정보를 저장한 넘파이 배열입니다.

● result_image = detect_objects(frame): 객체 탐지 함수를 호출합니다. 반환된 이미지는 객체 탐지 후 경계상자 정보를 표시한 배열입니다.

● cv2.imencode('.jpg', result_image): 이미지를 JPEG 포맷으로 인코딩합니다.

- base64.b64encode(buffer).decode('utf-8'): 인코딩된 이미지를 Base64 문자열로 변환합니다.
- json.dumps({'image': jpg_as_text}): JSON 형식으로 변환합니다.
- client.publish(topic, payload): MQTT 클라이언트 객체를 이용해서 `/camera/objects` 토픽 이름으로 메시지를 전송합니다.
- cv2.imshow('Frame', np.array(result_image)): 객체 탐지한 이미지를 윈도우에 표시합니다.
- cv2.waitKey(1) & 0xFF == ord('q'): 'q' 키를 누르면 루프를 종료합니다.
- cap.release(): 카메라 연결을 해제합니다.
- cv2.destroyAllWindows(): 열려 있는 모든 OpenCV 윈도우를 종료합니다.
- client.disconnect(): MQTT 연결을 해제합니다.

만일 IP 카메라의 영상을 처리해야 한다면 cv2.VideoCapture() 함수의 인수에 IP 카메라의 RTSP 프로토콜 주소를 입력하기만 하면 됩니다. RTSP 주소는 아래의 형식으로 되어 있으면 IP 카메라의 설명서에 주소를 설정하는 방법을 쉽게 찾을 수 있습니다.

- rtsp://username:password@hostname:port/profile
- 사용 예
  ```
  cam_addr = "rtsp://admin:admin123@230.24.58.146:8888/cam1"
  cv2.VideoCapture(cam_addr)
  ```

전체 코드는 다음 깃허브 주소에서 내려받을 수 있습니다.
- https://github.com/hjk7902/java2ai -> camera.py

2.2. 전체 코드

다음은 전체 코드입니다.

camera.py

```
1   import base64
2   import io
3   from PIL import Image
4   import cv2
5   import numpy as np
6   import paho.mqtt.client as mqtt
7   import json
8   from ultralytics import YOLO
9
10  # YOLO 모델 로드
11  model = YOLO('yolov8n.pt')
12
13  # MQTT 설정
14  broker = 'localhost'
15  port = 1883
16  topic = '/camera/objects'
17
18  # MQTT 클라이언트 설정
19  client = mqtt.Client()
20
21
22  def on_connect(client, userdata, flags, rc):
23      print(f"Connected with result code {rc}")
24
25
26  client.on_connect = on_connect
27  client.connect(broker, port, 60)
28
29
30  # 클래스 라벨별 색상 설정 함수
31  def get_colors(num_colors):
32      np.random.seed(0)
```

```
33    colors = [tuple(np.random.randint(0, 255, 3).tolist()) for _ in
   range(num_colors)]
34    return colors
35
36
37  # 클래스 라벨 및 색상 설정
38  class_names = model.names
39  num_classes = len(class_names)
40  colors = get_colors(num_classes)
41
42
43  def detect_objects(image: np.array):
44      results = model(image, verbose=False) # 객체 탐지
45      class_names = model.names # 클래스 이름 저장
46
47      # 결과를 바운딩 박스와 정확도로 이미지에 표시
48      for result in results:
49          boxes = result.boxes.xyxy # 바운딩 박스
50          confidences = result.boxes.conf # 신뢰도
51          class_ids = result.boxes.cls # 클래스
52          for box, confidence, class_id in zip(boxes, confidences,
   class_ids):
53              x1, y1, x2, y2 = map(int, box) # 좌표를 정수로 변환
54              label = class_names[int(class_id)] # 클래스 이름
55              cv2.rectangle(image, (x1,y1), (x2,y2),
   colors[int(class_id)], 2)
56              cv2.putText(image, f'{label} {confidence:.2f}',
   (x1,y1), cv2.FONT_HERSHEY_SIMPLEX, 0.9, colors[int(class_id)], 2)
57
58      return image
59
60
61  # 카메라에서 프레임 캡처
62  cap = cv2.VideoCapture(0)
63
64  while cap.isOpened():
65      ret, frame = cap.read()
```

```
66      if not ret:
67          break
68
69      result_image = detect_objects(frame)
70
71      # 이미지 결과를base64로 인코딩
72      _, buffer = cv2.imencode('.jpg', result_image)
73      jpg_as_text = base64.b64encode(buffer).decode('utf-8')
74
75      # 객체 탐지 이미지를 전송
76      payload = json.dumps({'image': jpg_as_text})
77      client.publish(topic, payload)
78
79      # 프레임을 화면에 표시
80      cv2.imshow('Frame', np.array(result_image))
81
82      # 'q' 키를 누르면 종료
83      if cv2.waitKey(1) & 0xFF == ord('q'):
84          break
85
86  # 리소스 해제
87  cap.release()
88  cv2.destroyAllWindows()
89  client.disconnect()
```

2.3. 객체 탐지 서비스 실행

다음 python 명령으로 프로그램을 실행하면 카메라가 연결되고, 카메라의 프레임에 객체 탐지 결과가 반영되어 있어야 합니다.

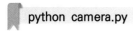

```
python camera.py
```

3절. MQTT 브로커에서 이미지 수신하기

클라이언트는 반드시 자바 환경일 필요는 없습니다. 지금부터 설명하는 코드는 스프링 부트 프로젝트에 html 문서를 추가하여 작성한 것입니다.

3.1. 뷰-컨트롤러

2장에서 작성한 프로젝트에 추가해서 작성할 예정이라면 html 페이지를 직접 요청할 수 있도록 뷰-컨트롤러 설정을 추가해야 합니다. 다음 코드는 프로젝트에 뷰-컨트롤러 설정을 추가하는 설정파일입니다.

WebConfig.java

```
1  package com.example.myapp.config;
2
3  import org.springframework.context.annotation.Configuration;
4  import org.springframework.web.servlet.config.annotation.ViewControllerRegistry;
5  import org.springframework.web.servlet.config.annotation.WebMvcConfigurer;
6
7  @Configuration
8  public class WebConfig implements WebMvcConfigurer {
9
10     @Override
11     public void addViewControllers(ViewControllerRegistry registry) {
12         registry.addViewController("/ai").setViewName("ai");
13     }
14  }
```

● 이 설정대로라면 요청 URL이 `http://localhost:8080/ai`이면 ai.html 파일이 실행됩니다.

3.2. 자바 웹에서 이미지 수신하기

다음 코드는 MQTT 브로커에 연결하여 특정 토픽에서 이미지를 수신하고, 이를 HTML 페이지에 표시하는 예제입니다. MQTT 클라이언트는 MQTT.js 라이브러리를 사용하여 구현되었으며, WebSocket을 통해 브로커와 통신합니다. 수신한 메시지는 JSON 형식으로 파싱되어 base64 인코딩된 이미지 데이터를 HTML 이미지 요소에 표시합니다.

지금부터 설명하는 HTML 파일을 스프링 프로젝트에 추가해야 한다면 `src/main/resources/templates/` 디렉토리에 `ai.html` 이름으로 HTML 문서를 만들어야 합니다.

1) HTML 기본 구조

다음 코드는 HTML 문서의 기본 구조입니다.

ai.html

```
1  <!DOCTYPE html>
2  <html xmlns:th="http://www.thymeleaf.org">
3  <head>
4      <title>MQTT Client Example</title>
5      <meta charset="utf-8">
6      <meta name="viewport" content="height=device-height">
7      <script src="https://unpkg.com/mqtt/dist/mqtt.min.js"></script>
8      <style>
9          div {
10             width: 100%;
11             height: 100%;
12         }
13         img#cameraView {
14             max-width: 100%;
```

```
15          max-height: 100%;
16          bottom: 0;
17          left: 0;
18          margin: auto;
19          overflow: auto;
20          position: fixed;
21          right: 0;
22          top: 0;
23        }
24      </style>
25    </head>
26    <body>
27      <h1>MQTT Client Example</h1>
28      <div align="center">
29          <img id="cameraView" width="100%" height="100%"/>
30      </div>
... 생략 ...
72    </body>
73    </html>
```

- ⟨!DOCTYPE html⟩: 문서가 HTML5로 작성되었음을 선언합니다.
- ⟨html xmlns:th="http://www.thymeleaf.org"⟩: HTML 태그와 Thymeleaf 템플릿 엔진의 네임스페이스를 선언합니다.
- ⟨head⟩: 문서의 메타데이터를 포함하는 헤드 섹션을 정의합니다.
- ⟨title⟩MQTT Client Example⟨/title⟩: 브라우저 탭에 표시될 문서 제목을 설정합니다.
- ⟨meta charset="utf-8"⟩: 문서의 문자 인코딩을 UTF-8로 설정합니다.
- ⟨meta name="viewport" content="height=device-height"⟩: 뷰포트의 높이를 설정합니다.
- ⟨script⟩: MQTT.js 라이브러리를 로드합니다. MQTT.js는 Node.js 환경에서 MQTT 프로토콜을 구현한 자바스크립트 클라이언트 라이브러리입니다. MQTT.js 라이브러리의 CDN 주소는 `https://unpkg.com/mqtt/dist/mqtt.min.js`입니다.
- ⟨style⟩: 문서의 스타일을 정의하는 CSS 섹션입니다.

● div: 페이지의 div 요소에 대해 폭과 높이를 100%로 설정합니다.
● img#cameraView: id가 cameraView인 img 요소에 대한 스타일을 설정합니다. 이미지가 화면 중앙에 위치하고 최대 폭과 높이를 100%로 설정하여 이미지가 컨테이너에 맞게 조정됩니다. 이 CSS 코드가 반드시 필요한 것은 아닙니다. 필요에 따라 사용하세요.

2) JavaScript MQTT 클라이언트

다음 JavaScript 코드는 MQTT 브로커에 WebSocket을 통해 연결하여 특정 토픽을 구독하고, 수신한 메시지를 JSON으로 파싱하여 base64 인코딩된 이미지를 HTML 이미지 요소에 실시간으로 표시합니다.

ai.html

```
31    <script type="text/javascript">
32        // WebSocket을 통한 MQTT 연결
33        const broker = 'ws://localhost:9001';
34        const topic = '/camera/objects';
35
36        // MQTT 클라이언트 생성 및 연결
37        const client = mqtt.connect(broker);
38
39        client.on('connect', () => {
40            console.log('Connected to broker');
41            client.subscribe(topic, (err) => {
42                if (!err) {
43                    console.log(`Subscribed to topic: ${topic}`);
44                }
45            });
46        });
47
48        // 메시지 수신 시 처리
```

```
49        client.on('message', (topic, message) => {
50            try {
51                // 메시지의 payload를 JSON으로 파싱
52                const payload = JSON.parse(message.toString());
53
54                // base64 이미지 추출
55                const base64Image = payload.image;
56
57                // img 태그의 src 속성에 base64 이미지 설정
58                document.getElementById("cameraView").src =
   `data:image/jpg;base64,${base64Image}`; # ` 는 역따옴표입니다.
59            } catch (e) {
60                console.error('Failed to parse message:', e);
61            }
62        });
63
64        client.on('error', (error) => {
65            console.error('Connection error:', error);
66        });
67
68        client.on('close', () => {
69            console.log('Disconnected from broker');
70        });
71    </script>
```

● const broker = 'ws://localhost:9001';:: MQTT 브로커의
  WebSocket URL을 정의합니다.

● const topic = '/camera/objects';:: 구독할 MQTT 토픽을 정의
  합니다. 이 토픽은 파이썬에서 publish 할 때 지정한 토픽의 이름
  과 같아야 합니다.

● const client = mqtt.connect(broker);:: MQTT 브로커에 연결
  할 클라이언트를 생성합니다.

● client.on('connect', () => { ... });:: 브로커에 연결되었을 때 실
  행할 콜백 함수를 정의합니다.

● client.subscribe(topic, (err) => { ... });:: 지정된 토픽을 구독합
  니다. 구독이 성공하면 메시지를 받을 수 있습니다.

- client.on('message', (topic, message) => { ... });: 구독한 토픽에서 메시지를 수신할 때 실행할 콜백 함수를 정의합니다.
- const payload = JSON.parse(message.toString());: 수신한 메시지를 JSON 형식으로 파싱합니다.
- const base64Image = payload.image;: JSON 객체에서 base64 인코딩된 이미지를 추출합니다.
- document.getElementById("cameraView").src = ...;: 추출한 이미지를 cameraView 이미지 요소의 src 속성에 설정하여 이미지를 표시합니다.
- client.on('error', (error) => { ... });: MQTT 연결 중에 오류가 발생하면 실행할 콜백 함수를 정의합니다.
- client.on('close', () => { ... });: 브로커와의 연결이 종료되었을 때 실행할 콜백 함수를 정의합니다.

※ 전체 코드는 아래의 깃허브 주소에서 볼 수 있습니다.
https://github.com/hjk7902/java2ai -> ai.html

완성된 자바 애플리케이션 프로젝트 파일은 `JavaSpringProjct.zip` 파일 이름으로 깃허브에 올려져 있습니다. 이 파일을 이클립스에서 사용하려면 다음 절차를 따르세요.
① [File] 〉 [Import] 메뉴를 선택하세요.
② [General] 〉 [Existing Projects into Workspace]를 선택하세요.
③ [Select archive file:] 오른쪽의 [Browsw] 버튼을 클릭하고 내려받은 압축파일을 찾아 선택하세요.
④ [Finish]를 누르면 프로젝트가 임포트됩니다.

3.3. 전체 코드

다음은 전체 코드입니다.

ai.html

```
 1  <!DOCTYPE html>
 2  <html xmlns:th="http://www.thymeleaf.org">
 3  <head>
 4      <title>MQTT Client Example</title>
 5      <meta charset="utf-8">
 6      <meta name="viewport" content="height=device-height">
 7      <script src="https://unpkg.com/mqtt/dist/mqtt.min.js"></script>
 8      <style>
 9          div {
10              width: 100%;
11              height: 100%;
12          }
13          img#cameraView {
14              max-width: 100%;
15              max-height: 100%;
16              top: 0;  bottom: 0;
17              left: 0; right: 0;
18              margin: auto;
19              overflow: auto;
20              position: fixed;
21          }
22      </style>
23  </head>
24  <body>
25      <h1>MQTT Client Example</h1>
26      <div align="center">
27          <img id="cameraView" width="100%" height="100%"/>
28      </div>
29      <script type="text/javascript">
30          // WebSocket을 이용한 MQTT 연결
31          const broker = 'ws://localhost:9001';
32          const topic = '/camera/objects';
```

```
33
34      // MQTT 클라이언트 생성 및 연결
35      const client = mqtt.connect(broker);
36
37      client.on('connect', () => {
38          console.log('Connected to broker');
39          client.subscribe(topic, (err) => {
40              if (!err) {
41                  console.log(`Subscribed to topic: ${topic}`);
42              }
43          });
44      });
45
46      // 메시지 수신 시 처리
47      client.on('message', (topic, message) => {
48          try {
49              // 메시지의 payload를 JSON으로 파싱
50              const payload = JSON.parse(message.toString());
51
52              // base64 이미지 추출
53              const base64Image = payload.image;
54
55              // img 태그의 src 속성에 base64 이미지 설정
56              const img = document.getElementById("cameraView")
57              // `는 역따옴표입니다.
58              img.src = `data:image/jpg;base64,${base64Image}`;
59          } catch (e) {
60              console.error('Failed to parse message:', e);
61          }
62      });
63
64      client.on('error', (error) => {
65          console.error('Connection error:', error);
66      });
67
68      client.on('close', () => {
69          console.log('Disconnected from broker');
```

```
70          });
71      </script>
72  </body>
73  </html>
```

3.4. 실행

스프링 부트 프로젝트를 실행하고 카메라의 프레임이 브라우저 화면
에도 동일하게 표시되는지 확인하세요.

그림 2. MQTT를 이용한 영상 스트리밍 결과

파이썬 애플리케이션이 실행되고 있어야 합니다. 자바 프로젝트와 파
이썬 프로젝트의 실행 순서는 무관합니다.